D1093317

Список дел
для Шмяка:
☐ застелить постель;
☐ убрать игрушки;
☐ полить растения.

КОТЁНОК ШМЯК –

мамин помощник

По мотивам лучших книг Роба Скоттона

Обложка Рика Фарли

Текст Дж. Е. Брайт

Иллюстрации Лорин Бранц

CLEVER

— Все на семейный совет! — объявил папа Шмяка.

— Все в нашей семье очень заняты, — сказал папа. —
Но маме трудно одной убирать весь дом. Поэтому
я составил для всех нас списки дел. На каждый день.

— На каждый день?! — приуныл Шмяк.

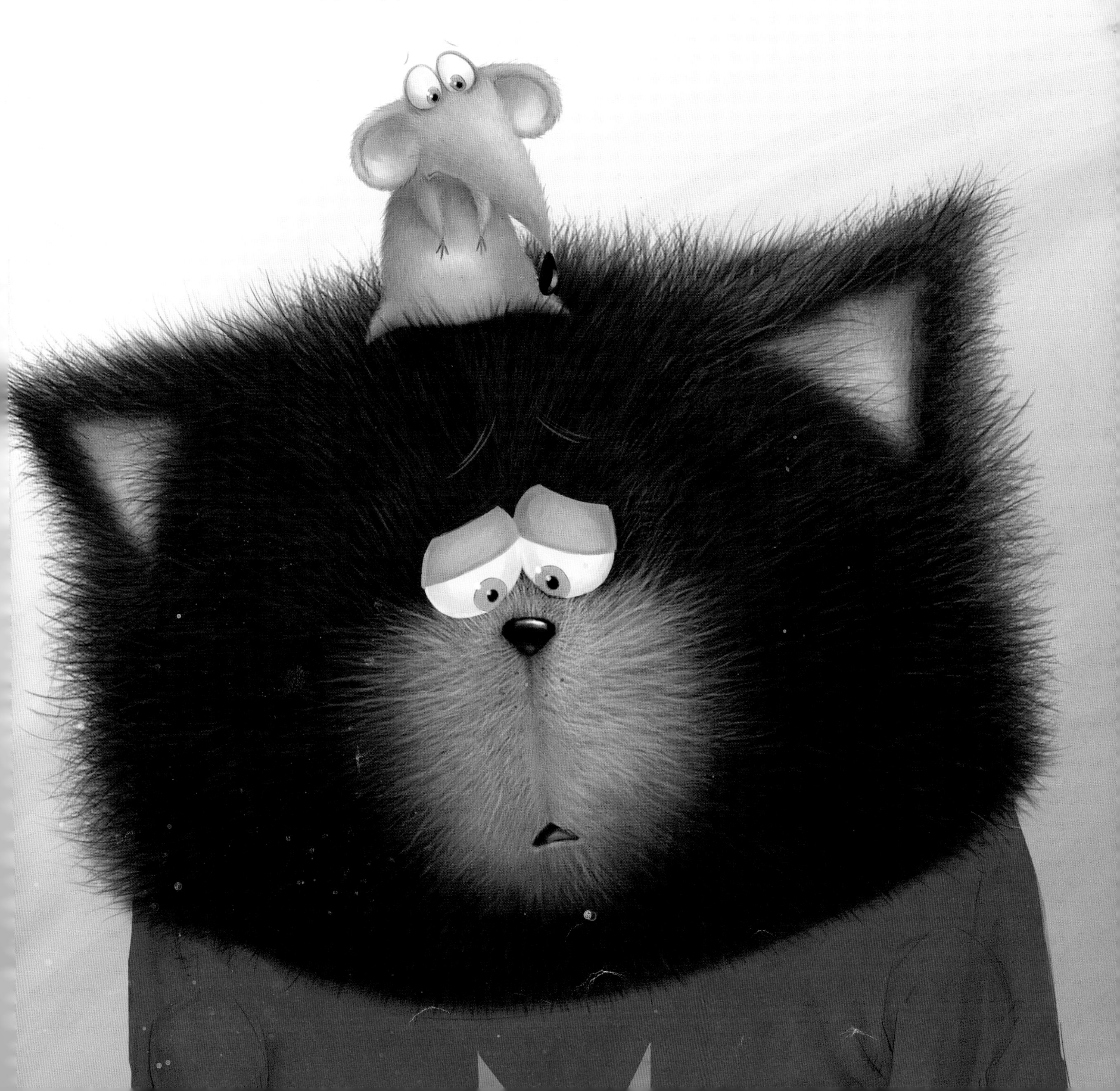

Шмяку достались такие задания: застилать постель, убирать игрушки у себя в комнате и поливать цветы.

— Но это же... это же займёт целую вечность, — возмутился Шмяк.

— Вовсе нет, — сказал ему папа. — Твой небольшой список дел обернётся большой помощью.

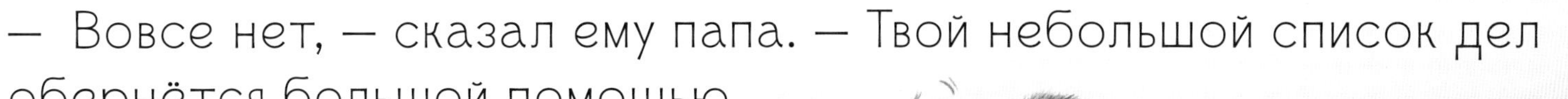

Шмяк и Сырник снова уселись играть. Через полчаса Сырник напомнил котёнку про список дел.

— Можно сделать их позже, — отмахнулся Шмяк.

— Новые правила! — объявила мама. — Никакого телевизора и видеоигр, пока не сделаны все дела по списку!

— Ы-ы-ы, — расстроился Шмяк.

Шмяк пошёл к себе в комнату, где был полный беспорядок.
— Давай уж разберёмся с этим и вернёмся к игре! — предложил он Сырнику.

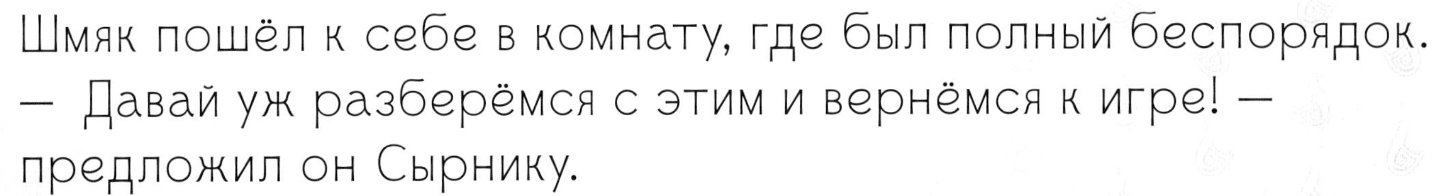

Я ♥ РЫБУ
КОТЯТА
Собаки с Марса, кошки с Венеры
О КОТАХ БОЛЬШИХ И МАЛЫХ
Сырник
Список дел для Шмяка:
☐ застелить постель;
☐ убрать игрушки;
☐ полить растения.
ГРУШКИ

Шмяк застелил постель.

Он убрал игрушки.

Потом полил цветок...

— Готово! — с гордостью объявил Шмяк.

Папа покачал головой:

— Кажется, ты не слишком старался.

— Но если стараться, это займёт целую вечность, — уныло пробормотал котёнок.

— Знаешь, как говорят? Когда тебе весело, время летит незаметно, — сказал папа.

Шмяк кивнул. Ещё бы ему не знать!

— Попробуй устроить веселье, — предложил папа.

На этот раз, застилая кровать,
Шмяк представил, будто он
удит рыбу в открытом море.

Его подушка превратилась в большую акулу, а игрушки, разбросанные на полу, — в рыбок и морских чудовищ.

ОСТРОВ СОКРОВИЩ
СТАРТ

Убирая игрушки в ящик, Шмяк представил, будто нашёл пиратский клад на необитаемом острове и ему надо сложить все золотые монеты в сундук.

Поливая цветок, Шмяк представил, будто он отважный исследователь диких джунглей.

— Всё готово! —
воскликнул Шмяк.

— Молодец! — похвалил его папа.
— Теперь можешь играть в свои видеоигры, — сказала мама.

Я ♥ РЫБУ
КОТЯТА
Собаки с Марса, кошки с Венеры
О КОТАХ БОЛЬШИХ И МАЛЫХ
Сырник
ИГРУШКИ

Шмяк уселся играть, но вдруг заметил,
что в комнате кое-что не на месте.
— Подожди, Сырник, я скоро! — сказал он. —
Вот только сгоняю на Южный полюс!
Шмяк и не думал, что уборка — это так весело.

УДК 82-34
ББК 84(4Анг)
Б87

Литературно-художественное издание
Для чтения взрослыми детям

Перевод с английского *Татьяны Покидаевой*
Иллюстрации *Лорин Бранц*
Обложка *Рика Фарли*

Брайт, Дж. Е.
Б87 Котёнок Шмяк. Мамин помощник / Дж. Е. Брайт. — Москва: Клевер-Медиа-Групп, 2020. — [32] с.: ил. — *(Котёнок Шмяк)*

ISBN 978-5-00154-106-6

Издательство Clever
Генеральный директор
Александр Альперович
Главный редактор *Елена Измайлова*
Арт-директор *Лилу Рами*
Ведущий редактор *Евгения Попова*
Корректоры *Наталья Гареева, Арзу Эсенова*

Доп. тираж 6000 экз.
Дата изготовления: 11.2019.
Формат 70х100/8. Усл. печ. л. 5,6.
Подписано в печать 10.10.2019.

Интернет-магазин:
www.clever-media.ru
facebook.com/cleverbook.org
vk.com/clever_media_group
@cleverbook
Книги — наш хлѣбъ
Наша миссия: «Мы создаём мир идей для счастья взрослых и детей»

Товар соответствует требованиям ТР ТС 007/2011 «О безопасности продукции, предназначенной для детей и подростков».

Импортёр, уполномоченное лицо по принятию претензий к изготовителю от потребителей по качеству продукции: ООО «Клевер-Медиа-Групп»
Адрес: 115054, г. Москва, 3-й Монетчиковский переулок, д. 16, стр. 1, мансардный этаж.
Электронный адрес для контакта:
hello@clever-media.ru

Страна происхождения: Латвия

В соответствии с ФЗ № 436 от 29.12.10 маркируется знаком 0+

Изготовитель: SIA «PNB Print» (ООО «ПНБ Принт»).
Адрес: Jansili, Silakrogs, Ropazu novads, LV-2133, Latvia. («Янсили», Силакрогс, Ропажский район, ЛВ-2133, Латвия). Заказ № 122844

Сырник
Утёнок